KB035879

# 끙, 동생은 귀찮아!

SEOUL, 2010

# 끙, 동생은 귀찮아!

초판 제1쇄 발행일 2010년 6월 25일
초판 제34쇄 발행일 2022년 3월 20일
글 알랭 M. 베르즈롱 그림 이민혜 옮김 이정주
발행인 박헌용, 윤호권 발행처 (주)시공사
주소 서울시 성동구 상원1길 22, 6-8층 (우편번호 04779)
대표전화 02-3486-6877 팩스(주문) 02-585-1247
홈페이지 www.sigongsa.com/www.sigongjunior.com



ISBN 978-89-527-8643-2 74860
ISBN 978-89-527-5579-7 (세트)

알랭 M. 베르조롱 글 · 이민혜 그림 · 이정주 옮김

시공주니어

| 차 례 |

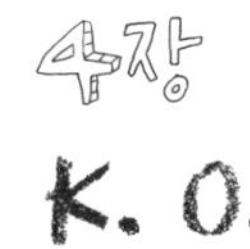
4장

# 1장

## 좋은 생각이 아니야…….

아이참, 좋은 생각이 아니었어요……. 동생을 데려가는 게 아니었어요!

집에서 쇼핑몰까지 가는데, 여동생 이사벨의 부츠가 다섯 번이나 벗겨졌어요! 그것도 이렇게 추운 12월에 말이에요!

처음에는 안쓰러웠어요. 추운데 쪼끄만 한쪽 발을

내놓고, 홍학처럼 한 발로 휘청휘청 서 있어야 했으니까요.

"오빠, 도미니크 오빠……."

하지만 다섯 번째 벗겨졌을 때 나의 동정심은 짜증으로 바뀌었어요. 난 부츠를 신겨 주면서 동생에게 단단히 일렀어요.

"이사벨, 이러면 발가락이 다 얼어서 떨어져 나갈지도 몰라!"

그러자 이사벨이 말했어요.

"그럼 발가락 요정한테 가져가라고 베개 밑에 두고 자면 되지."

"발가락 요정?"

"어, 이빨 요정(서양에서는 빠진 이빨을 베개 밑에 두고 자면, 이빨 요정이 와서 이를 가져가고 돈을 두고 간다는 이야기가 있다 : 옮긴이)의 사촌이야!"

"아니, 넌 새 부츠를 사야 할걸? 발가락이 없으면

부츠가 클 테니까……."

이사벨이 눈을 말똥거리며 말했어요.

"맞다. 그런데 발가락 요정이 베개 밑에 돈을 두고 가면, 그 돈으로 새 부츠를 살 수 있을 거야."

다섯 살밖에 안 된 계집애가 못하는 소리가 없어요. 끈으로 연결된 내 벙어리장갑처럼 동생 부츠도 하나로 묶어 버리고 싶었어요.

동생이 자꾸 내 손을 뿌리쳐서 난 동생의 손목을 꽉 잡았어요.

"어서 할머니, 할아버지 선물 사러 가자. 산타클로스는 애들한테만 선물을 준단 말이야……."

"맞아, 맞아!"

이사벨은 좋아서 폴짝폴짝 뛰었어요.

그 바람에 또 부츠가 벗겨졌어요…….

# 2장
# 친구들의 도움으로

쇼핑몰에 도착하자마자, 나는 동생에게 주의를 줬어요.

"너, 만약에 길을 잃으면 그 자리에 앉아서 꼼짝도 하면 안 돼. 알았지?"

"알았어……. 근데 오빠, 앉아 있으라고 해서 말인데, 나 화장실 가고 싶어. 급해!"

아이참, 귀찮게 동생을 데려오는 게 아니었어요!
어떻게 여자 화장실에 들어가요? 그렇다고 여동생을 데리고 남자 화장실에 갈 수도 없잖아요. 그러니까 동생 혼자 여자 화장실에 가야 해요.
동생은 눈을 깜빡이며 물었어요.
"누가 나 닦아 줘?"
"그렇게 말하면 내가 도와줄 줄 알아? 그런 건 아빠한테나 통해! 너 혼자 알아서 처리해……."
화장실에 간 동생은 감감무소식이었어요. 이사벨은 한참이 지나서야 나왔지요. 꽁무니에 휴지를 길게 달고서요. 아휴, 내가 못 살아요.
"이사벨, 제발!"
"와, 질질 끌리는 게 꼭 웨딩드레스 같다. 그렇지?"
동생은 좋아했어요.
아빠는 할머니, 할아버지에게 드릴 크리스마스 선물을 사 오라고 우리를 쇼핑몰에 보냈어요. 그동안

엄마, 아빠는 집 안에 크리스마스 장식을 하고 있을 거예요.

　나는 화장실로 통하는 복도 끝에서 앙토니와

자비에를 만났어요. 친구들은 내가 동생을 데리고 왔다는 말에 안됐다는 듯이 혀를 끌끌 찼어요.

앙토니가 물었어요.

"그런데 이사벨은 어디에 있어?"

"이사벨!"

잠깐 한눈판 사이에 동생이 사라졌어요. 고사이에 사라지다니 쇼핑몰 역사에 남을 기록일 거예요.

자비에의 날카로운 목소리가 날 안심시켰어요.

"네 동생 저기에 있어."

이사벨은 어디 있다 왔는지, 폴짝폴짝 뛰면서 왔어요.

"꼭 개구리 같아……."

앙토니가 한술 더 떴어요.

"둠둠, 내가 볼 때는 캥거루야."

(둠둠은 내 별명이에요) 자비에도 질세라 덧붙였어요.

"아니야, 메뚜기야."

"안녕, 앙토니 오빠. 안녕, 자비에 오빠. 내 예쁜 크리스마스 양말 좀 봐!"

에이, 씨!

이사벨 왼발은 파란 부츠인데, 오른발은 빨간색 크리스마스 양말이에요. 난 고개를 가로저으며 한숨을 내쉬었어요.

"부츠 어디 있어?"

이사벨은 엄지손가락으로 가까이에 있는 신발 매장을 가리켰어요. 나는 곧장 동생의 손목을 끌고 매장으로 갔어요.

"어디에 뒀어?"

동생은 입술을 비죽이며 말했어요.

"몰라, 너무 오래돼서 기억이 안 나! 뭐, 어딘가 있겠지."

앙토니가 키득키득 웃으며 말했어요.

크리스마스 세일
SALE
한 켤레 가격에
켤레

"한 짝쯤 없어진다고 어떻게 되진 않아. 사방이 부츠인데, 뭐!"

이사벨이 말한 그 어딘가에는 아동용 부츠가 천 켤레도 넘게 있었어요! 그것도 동생 부츠랑 똑같은 파란 부츠가 잔뜩 진열되어 있었지요……. 신발 매장에는 크리스마스 세일 기간이라 '한 켤레 가격에 두 켤레'를 살 수 있다고 써 있었어요.

"찾았어!"

자비에 보리외가 의기양양하게 파란색 부츠 한 짝을 들고 왔어요.

이사벨이 자비에 목도리를 잡아당기면서 자비에 귀에다 속삭였어요.

"고마워, 자비에 오빠! 내가 뽀뽀해 줄까?"

"놔줘, 이사벨! 자비에 얼굴이 파래졌잖아."

앙토니가 키득키득 웃으며 말했어요.

"자비에, 너 되게 웃기다! 꼭 스머프(파란색

피부를 가진 만화 주인공들 : 옮긴이) 같아!"

이사벨한테서 간신히 풀려난 자비에는 원래 얼굴색으로 돌아왔어요. 하지만 자비에가 가져온 부츠는 이사벨의 부츠가 아니었어요. 난 친구들에게 동생 부츠 안에 '이사벨' 이라고 적혀 있고, 없어진 부츠는 오른짝이라고 알려 줬어요.

하지만 자비에는 자꾸 오른쪽과 왼쪽을 헷갈려 했어요. 그래서 앙토니가 도와줬어요.

"손으로 구별해 봐. 글씨 쓰는 손이……."

자비에는 아리송한 표정이었어요.

"그래도 헷갈려!"

"네가 그렇지, 뭐!"

앙토니는 키득키득 웃었어요.

부츠는 아무리 해도 찾을 수 없었어요. 해결책은 딱 하나밖에 없었지요. 앙토니는 콧수염 자국이 파릇파릇한 남자 점원에게 도움을 청했어요. 점원은

이사벨을 가만히 앉히더니(이것만으로도 벌써 성공이에요), 곰곰 생각에 잠겼어요.

"생각을 좀 해 보자……."

이사벨이 맹랑하게 말을 걸었어요.

“내가 도와줄까요?”

“아니, 그럴 필요는 없어……. 아, 알겠다! 어디 있는지 알 것 같아.”

점원은 부츠 진열대를 한번 쓱 훑어 보더니 동생 부츠를 찾았어요. 그리고 부츠 속을 들여다봤어요.

“두구두구두구두!”

자비에가 부츠를 받아 속을 들여다봤어요.

“벨사이.”

자비에는 머리를 긁적이며 말했어요.

“벨사이? 이건 이사벨 이름이 아닌데. 이런 상표가 있었나?”

내가 부츠를 확인했어요. 아하, 알겠어요.

“자비에 보리외, 반대로 읽었잖아! 벨사이가 아니라

이사벨이야!"

"그럴 줄 알았어! 그럴 줄 알았어!"

이사벨이 까르르 웃었어요.

우리는 신발 매장을 나왔어요. 난 친구들에게 팝콘을 사 줄 테니 같이 다니자고 부탁했어요. 앙토니와 자비에는 다행히도 내 부탁을 들어주었지요.

이사벨은 좋아서 자비에 얼굴 한가득 뽀뽀를 쪽쪽 해 댔어요.

자비에는 떨떠름한 얼굴로 말했어요.

"도미니크, 네 동생 정말 귀찮아……."

# 3장

# 없어진 벙어리장갑

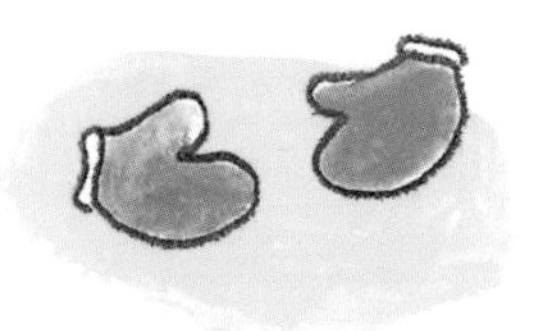

우리는 잠시 쉬기로 했어요. 나는 주스, 코코아, 팝콘과 사탕을 샀어요. 코코아는 계산하기도 전에 동생이 반이나 마셔 버렸지요. 그런데 돈을 내는 동안, 동생이 또 없어졌어요. 대단해요! 30분도 안 돼서 또 사라지다니!

후유! 다행히 30초 뒤에 이사벨이 돌아왔어요.

하지만 울면서요!

"벙어리장갑 한 짝이 없어졌어!"

그 벙어리장갑은 할머니가 짜 주신 거라 되게 소중한 거예요.

"이번엔 또 뭐야?"

자비에가 투덜거렸어요.

"네 동생 저기서 나왔어!"

아이참! 어떡해요. 동생이 들어갔다 온 곳은…… 여자 속옷 매장이었어요!

"이사벨, 왜 하필이면 저기야? 서점 같은 데면 좋잖아!"

앙토니는 호들갑을 떨었어요.

"투덜대지 말고, 어서 가 보자! 이사벨처럼 어린애가 장갑이 없으면 안 되지! 손가락이 감기에 걸릴지 몰라."

자비에는 고개를 절레절레 저으며 말했어요.

"우리 엄마는 내가 저런 데 들어가는 걸 못마땅해하실 거야. 난 여기에 있을래."

그래서 속옷 매장 앞에서 기다리기로 했지요.

나는 아무도 날 못 알아보게 털모자를 깊이 눌러쓰고, 목도리를 코까지 휘휘 둘렀어요. 이제 들어가기만 하면 돼요…….

분명히 장갑은 바닥에 떨어져 있을 거예요. 하지만 내 눈은 자꾸 속옷을 입은 여자 사진이 걸린 위쪽으로 향했어요.

괜히 얼굴이 화끈거렸어요! 난 아무렇지 않으려고 애썼어요. 그런데 사진 속 여자가 자꾸 날 쳐다보는 것만 같았어요.

이사벨이 외쳤어요.

"장갑 찾았어!"

"어디에서?"

"저기 탈의실에 있었어."

이키, 난 휘청 쓰러질 뻔했어요. 탈의실 커튼이 젖혀져 있는데, 웬 여자가 옷을 입고 있는 거예요…….

얼른 도망쳐야 해요. 우리 담임, 쥬느비에브 선생님이에요!

# 4장

# K. O.

허! 허! 허!

호탕한 웃음소리가 쇼핑몰 안에 퍼지자, 이사벨의 눈길이 그리로 쏠렸어요.

"오빠, 산타클로스야! 산타클로스 보러 가자!"

이사벨은 신 나게 외치며 쪼르르 달려갔어요.

난 재빨리 두 친구에게 도움을 청했어요.

"빨리 따라가! 놓치지 마!"

쪼끄만 게 되게 빨랐어요. 몸집이 작으니까 사람들 틈도 생쥐처럼 요리조리 잘 빠져나갔어요.

우리가 산타클로스 왕국에 도착했을 때, 이사벨은 벌써 줄에 서 있었어요.

이사벨은 나를 보더니 크게 손짓했어요.

"도미니크 오빠! 여기야, 여기!"

난 얼른 동생한테 갔어요.

"무슨 선물을 달라고 하려고?"

"그건……."

동생은 전에 상품 안내서에서 봤던 장난감이란 장난감은 죄다 읊었어요.

"선물은 하나밖에 못 받아."

이사벨은 팔짱을 끼며 얼굴을 실룩거렸어요.

"치, 말도 안 돼!"

줄이 길어서 언제 산타클로스를 만날 수 있을지

몰랐어요. 산타클로스 옆에는 알록달록 전구가 달린 크리스마스트리가 있었어요. 기쁨의 나무예요. 엄마 아빠한테 나무에 걸려 있는 이름 중에서 하나를 고르라고 해야겠어요. 해마다 우리

가족은 형편이 어려운 아이에게 크리스마스 선물을 전해 주고, 그 아이 이름이 있는 전구에 불을 켜거든요.

아! 저기 우리 사촌 파트리시아와 그 동생 시몽이 보여요. 기쁨의 나무 옆에서 키가 큰 경찰관 아저씨랑 얘기하고 있어요.

올해도 기쁨의 나무 행사에 참여하려는 것 같아요. 참 착해요. 재네 둘 엄마는 몇 주 전에 일자리를 잃었거든요…….

이사벨이 기뻐서 소리쳤어요.

"내 차례야!"

드디어 크리스마스 요정이 이사벨을 산타클로스에게 안내했어요. 난 마지못해 발을 질질 끌면서 동생과 같이 갔어요. 이사벨은 산타클로스 무릎에 폴짝 뛰어올랐어요. 흰 수염 사이로 산타클로스 얼굴이 일그러지는 게 보였어요.

내 친구들은 날 골탕 먹이려고 짓궂게 장난을 쳤어요. 앙토니는 허! 허! 허! 산타클로스의 웃음을 흉내 냈고, 자비에는 엄지손가락을 빨면서 앙토니의 무릎에 올라탔어요. 게다가 산타클로스의 수염을 잡아당기라고 이사벨을 부추겼어요.

제발, 그건 안 돼!

산타클로스가 물었어요.

"꼬마 아가씨, 크리스마스 선물로 뭘 받고 싶어요?"

"어, 자비에 보리외를 갖고 싶어요."

"허! 허! 허어…… 자비에 보리외? 그게 뭐지요?"

산타클로스는 이사벨의 뚱딴지같은 말에 눈이 휘둥그레졌어요.

이사벨은 엄지손가락으로

내 친구를 가리켰어요.

"저 오빠가 자비에 보리외예요. 자비에

오빠한테는 막 뽀뽀해도 되고요, 목도리를 잡아당기면 얼굴이 파래져요……."

"스머프처럼요? 허! 허! 허! 한번 찾아볼게요. 그럼 트리 밑에 갖다 두면 되지요?"

동생이 들뜬 목소리로 말했어요.

"아니요! 내 크리스마스 양말 속에 넣어 주세요."

산타클로스는 이사벨을 재밌게 해 주려고 산타클로스 모자와 이사벨 모자를 바꿔 쓰는 장난을 쳤어요. 내가 미리 알았으면 얼른 못 하게 막았을 거예요. 학교에서 동생 반에 머릿니가 돈다는 알림장을 받았단 말이에요……. 두 사람은 다시 자기 모자로 바꿔 썼어요.

이사벨은 산타클로스 무릎에서 내려왔어요. 그러고는 기분이 좋아 폴짝폴짝 뛰기 시작했어요. 그런데 그 순간, 산타클로스가 동생 이마에 뽀뽀를 해 주려고 하다가 그만 동생의 단단한 머리에 턱을

세게 받히고 말았어요.

쿵!

산타클로스는 무릎이 흔들리면서 수염 달린 헝겊 인형처럼 맥없이 바닥에 풀썩 쓰러졌어요. 그 옆에서 이사벨은 머리를 만지작거리며 얼굴을 찌푸렸어요.

"아야! 아야! 아야! 아파."

난 할 말이 이것밖에 없었어요.

"어떡해! 어떡해! 어떡해!"

산타클로스 옆에 있는 요정 아저씨는 얼어붙은 듯이 꼼짝도 안 했어요. 입이 헤벌어졌지요. 이윽고 요정 아저씨의 어깨가 들썩거리기 시작했어요. 점점 더 크게 들썩거렸어요. 두 손에 얼굴을 파묻고는 몸이 반으로 접혔어요. 숨쉬기도 힘들어 보였어요. 굵은 눈물이 뺨을 타고 흘렀어요. 겨우 몇 초 동안 간신히 참을 뿐이었어요. 요정 아저씨는 바닥에 대자로 뻗은 산타클로스를 보자…… 또다시 턱이

빠질 듯이 웃었어요.

장난꾸러기 앙토니가 이 기회를 놓칠 리 없지요. 얼른 산타클로스 옆에 가서 손을 위아래로 흔들며 크게 숫자를 셌어요.

"원, 투, 스리, 포, 파이브……."

앙토니는 권투 경기의 심판 흉내를 냈어요.

그러자 요정 아저씨는 배꼽을 잡고 바닥을 데굴데굴 굴렀어요.

"식스, 세븐, 에이트, 나인, 텐!"

앙토니는 이사벨의 팔을 들어 올렸어요. 그리고 산타클로스 주위에 모여든 사람들에게 외쳤어요.

"페더급 이사벨 아벨이 헤비급(선수의 몸무게에 따라 분류한 운동 경기 등급 가운데 페더급은 가벼운 등급, 헤비급은 가장 무거운 등급이다 : 옮긴이) 산타클로스의 턱에 스트레이트(권투에서 팔을 쭉 뻗어 공격하는 동작 : 옮긴이)를 날려서

K·O!

K.O.(케이오)시켰습니다!"

앙토니는 간신히 눈을 뜬 산타클로스에게 고개를 숙여 말했어요.

"왜 산타클로스가 받는 것보다 주는 걸 더 좋아하는지 이제야 알겠어요! 허! 허! 허!"

동생을 쇼핑몰에 데려오는 게 아니었어요. 정말이지 좋은 생각이 아니었어요!

뒷이야기

# 선물? 선물!

겨우 집에 돌아온 나는 파김치가 됐어요! 집에 오는 길에도 이사벨은 쉴 새 없이 개구리, 메뚜기, 캥거루처럼 폴짝폴짝 여기저기를 뛰어다녔어요. 아마도 단 코코아를 마셔서 더 흥분한 것 같아요. 부츠는 고작 세 번밖에 안 벗겨졌어요. 보다 못한 자비에가 이사벨을 업었지요. 그런데도 천방지축 이사벨은 눈밭에서 천사 모양(서양 아이들은 눈밭에 누워 팔다리를 펄럭거리면서 천사 날개를 만들며 논다 : 옮긴이)을 만들겠다고 두 번이나 떼를 썼어요.

치, 자기가 무슨 천사라고…….

엄마 아빠는 환하게 웃으며 우리를 반겼어요. 집은 온통 크리스마스 장식으로 반짝거렸어요. 하지만 난 좋아할 기운이 없었어요. 아빠는 내 머리를 쓰다듬고, 엄마는 이사벨을 진정시켜서 옷을 갈아입히려고 했어요.

엄마는 앙토니와 자비에를 보고 말했어요.

"어머나, 너희들이 선물 사는 거 도와줬나 보구나……."

선물? 선물!

이사벨한테 온 신경을 쓰느라 왜 쇼핑몰에 갔는지 깜빡했어요. 할머니, 할아버지에게 드릴 크리스마스 선물을 사러 간 건데 말이에요!

엄마 아빠는 웃음을 터뜨렸어요. 앙토니는 얼른 크리스마스트리에서 리본을 두 개 떼다가 나와 이사벨의 머리에 붙였어요. 그러고는 산타클로스 흉내를 냈어요.

"메리 크리스마스! 애들이 아줌마, 아저씨의 선물이에요! 허! 허! 허!"

엄마 아빠는 벙긋 웃었어요. 선물이 마음에 드나 봐요.

엄마 아빠가 말했어요.

"할머니, 할아버지 선물은 내일 엄마 아빠가 사러 갔다 올게."

나는 엄마 아빠에게 기쁨의 나무 아이들을 잊지 말라고 부탁했어요.

"그래, 알았어."

옆에 있던 이사벨은 괜히 들떠서 발을 동동 굴렀어요.

"나도! 나도! 나도 내일 데려가!"

네, 아주 좋은 생각이에요. 엄마 아빠도 이사벨이랑 가 봐야 해요!

## 작가의 말

먼저 밝혀 두면, 전 누나가 두 명 있어요. 프랑신느와 리즈 누나요. 둘 다 '선물같이' 소중한 누나들이에요! 우리 누나들은 이사벨과는 정말 달라요. 오히려 우리의 주인공, 도미니크와 많이 닮았지요. 말썽꾸러기 두 남동생들 때문에 늘 골치 아파했거든요. 그래도 변명하자면, 우리는 남자니까 얌전할 수가 없었어요. 그건 변명이 안 된다고요? 음, 뭐, 바라보는 시각의 차이라고 생각해요.

알랭 M. 베르즈롱

## 옮긴이의 말

프랑스 어로 어떤 사람에게 '선물이 아니야.' 라고 말하면 '귀찮은 사람' 을 뜻해요. 이 책의 원래 제목을 글자 그대로 번역하면 '내 동생은 선물이 아니야.' 예요. 그러니까 '동생은 귀찮아.' 라는 뜻이 되지요.

동생이 부모님에게는 선물일지 모르겠지만 언니나 오빠, 누나, 형의 입장에서는 여간 귀찮은 존재가 아니지요? 저도 여동생들이 있는데, 어렸을 때 제 책상에서 지우개, 연필, 편지지 등을 맘대로 꺼내 쓰고, 친구 집에 놀러 가려고 하면 졸졸 따라와서 얼마나 귀찮았는지 몰라요. 물론 어렸을 때에만요! 지금은 아니에요. 다 같이 배낭여행을 한 적이 있었는데, 친구들이랑 갔을 때보다 더 편하고, 재밌고, 무엇보다 의지가 돼서 좋았어요. 그래서 형제자매는 인생이란 긴 여행에서 홀로 외롭지 말라는 '부모님의 선물' 인 것 같아요!

이정주